Andrea Holzer-Rhomberg

Fiedel Max goes Cello

22 Vortragsstücke für Violoncello

1. Lage eng und weit

Klavierbegleitung

Andrea Holzer-Rhomberg, geboren in Baden bei Zürich und wohnhaft in Vorarlberg (Österreich), absolvierte ihr Studium am Mozarteum in Salzburg und an der Musikhochschule Wien. Es folgte eine rege Konzerttätigkeit als Mitglied diverser Kammerorchester im In- und Ausland. Seit 1988 führt sie eine Klasse für Violine und Viola an der Städtischen Musikschule Feldkirch. In ihrer pädagogischen Arbeit verpflichtet sie sich nachhaltig den Grundsätzen der Ganzheitlichkeit und Anschaulichkeit. Im Rahmen des Streicher-Gruppenunterrichtes verbindet sie das frühinstrumentale Lernen mit einer elementaren Orchestererziehung.

Impressum

VHR 3868 / ISMN 979-0-2013-0962-0 / ISBN 978-3-86434-069-7

Notensatz: Regina Krauß, Speyer

Umschlag: Gerhard Illig Kommunikation GmbH, Erlangen

Zeichnungen: Ulrich Velte Design + Illustration, Hamburg

www.holzschuh-verlag.de
www.fiedel-max.de

Inhalt

1. Der Hase und der Igel

A. Holzer-Rhomberg

17
Etwas ruhiger
21
25
3
0
3
0
II
rit.
rit.
29
a tempo

Schnell
34
38
42
46
accelerando
accelerando

2. Andante

A. Holzer-Rhomberg

3. Mückentanz

A. Holzer-Rhomberg

17
Fine
rit.
rit.
Fine
Ruhig
21
27
32
rit.
D.C. al Fine
rit.
D.C. al Fine

4. Herbsttag

A. Holzer-Rhomberg

29
35
43
51

57
64
3
0
70
3
0
76

5. Babuschka tanzt

A. Holzer-Rhomberg

17
20
f
f
23
26
3

29
32
35
38
accel.
accel.

6. Der Bogen-Künstler

A. Holzer-Rhomberg

13
16
19
Variation 2
24

28 Variation 3
31
34
37 Variation 4

40
43
46
Variation 5
51

7. Klagelied

A. Holzer-Rhomberg

14
17
Fine
Fine
21
24
D.S. al Fine
D.S. al Fine

8. Fiona's Fivestep

A. Holzer-Rhomberg

7

13

19

25
29
33
37

41
45
49
53

9. Der Tagträumer

10. Spaßlied

A. Holzer-Rhomberg

11. Giulia's Gavotte

A. Holzer-Rhomberg

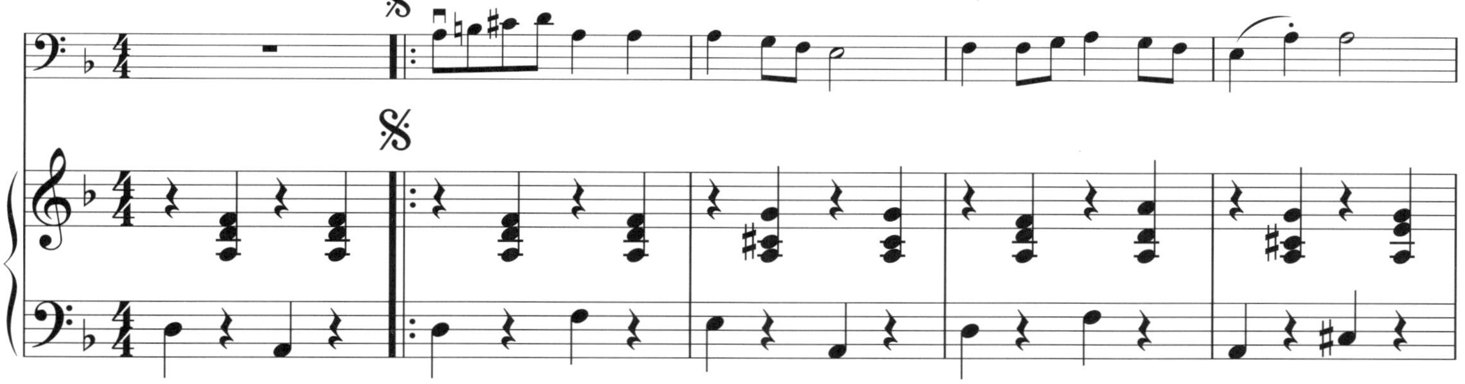

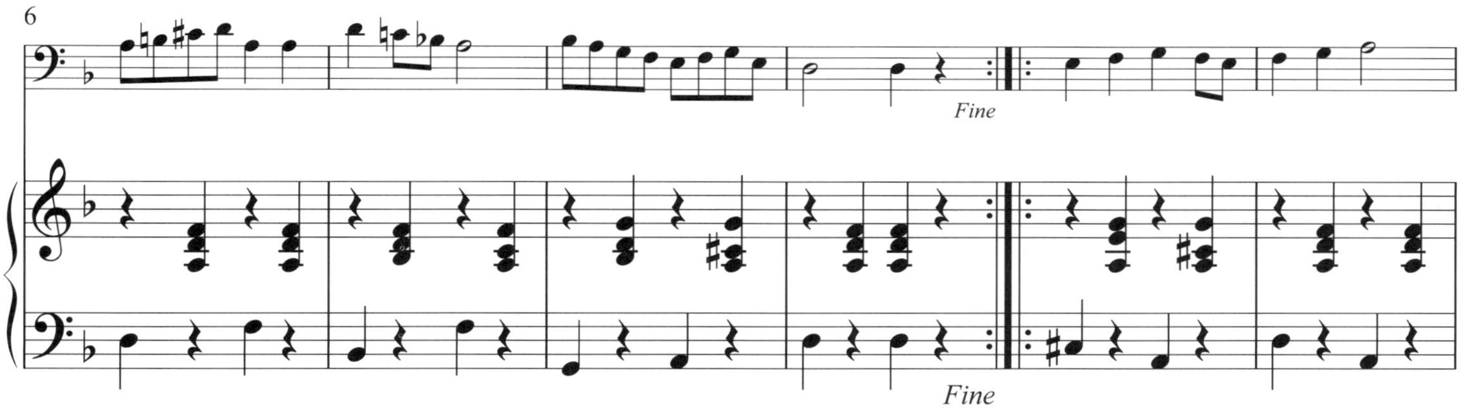

6

Fine

Fine

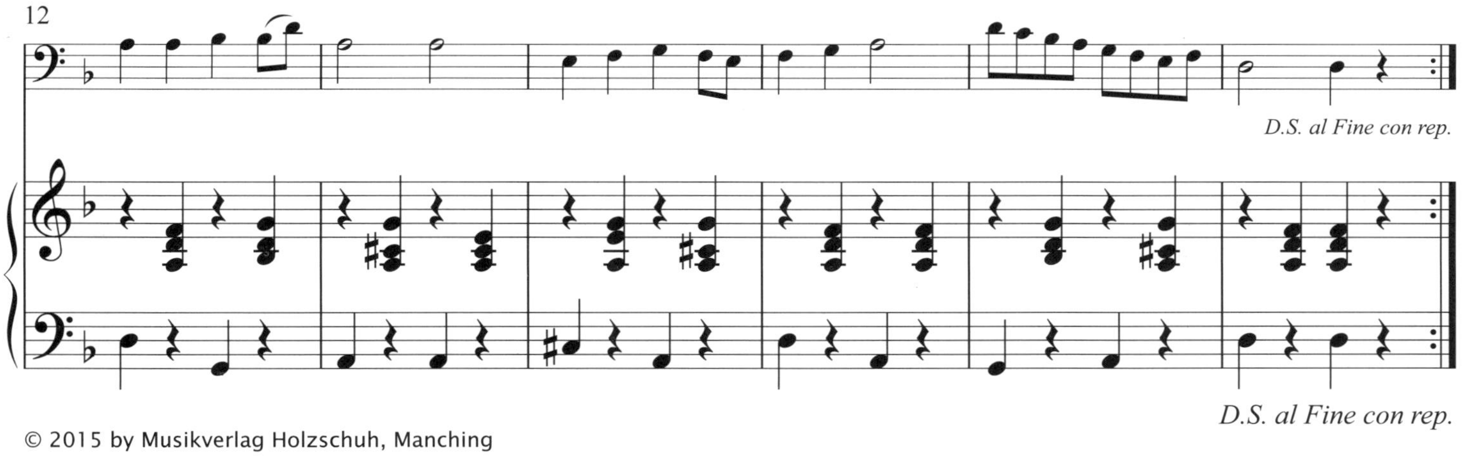

12

D.S. al Fine con rep.

D.S. al Fine con rep.

12. Irisches Fiddle-Lied

A. Holzer-Rhomberg

15
1.
2.
18
22
26
3
0
3
0

30
34
38
41

13. Csárdás

22 Feurig
27
32
sim.
36

40
44
48
52

14. Gabriel's Gavotte

A. Holzer-Rhomberg

22
27
32
37

15. Zu Besuch bei Béla Bartók

A. Holzer-Rhomberg

19
23
28
Gemächlich
33

39
45
3
0
3
0
51
D.S. al
55

16. Der Marathonläufer

A. Holzer-Rhomberg

14
17
20
23
Fine
Fine

27
31
35
39
D.S. al Fine
D.S. al Fine

17. Mazurka

A. Holzer-Rhomberg

25
31
mf
mf
37
f
f
43

18. Anouschka

A. Holzer-Rhomberg

11
16
schneller!
schneller!
20
25
noch schneller!
noch schneller!

19. Georgette's Gavotte

A. Holzer-Rhomberg

18
22
26
30
D.S. al Fine
D.S. al Fine

20. Polonaise

A. Holzer-Rhomberg

13
17
Fine
Fine
21
25

29
33
37
41
rit.
D.S. al Fine
rit.
D.S. al Fine

21. Stürmische Seefahrt

A. Holzer-Rhomberg

17
Fine
Fine
21
25
29

33
36
39
42
D.S. al Fine
D.S. al Fine

22. Suleikas Tanz

A. Holzer-Rhomberg

13
16
19
22